baby

niemowlę

boy

chłopiec

friends

przyjaciele

girl

dziewczynka

smile

uśmiech

cry

płacz

hair

włosy

eye

oko

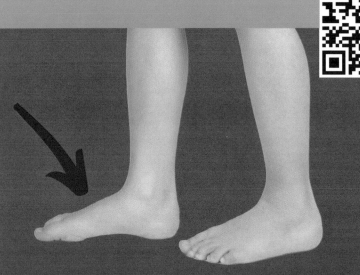

foot

stopa

hand

ręka

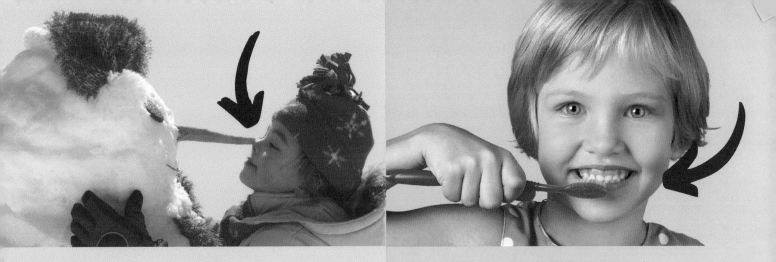

nose

nos

teeth

zęby

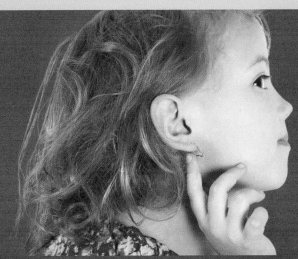

ear

ucho

tongue

język

sun

słońce

moon

księżyc

star

gwiazda

tree

drzewo

bird

ptak

coat

płaszcz

pants

spodnie

dress

sukienka

shoes

buty

red

czerwony

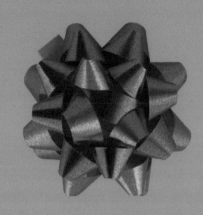

blue

niebieski

yellow

żółty

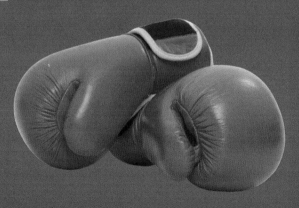

pink

różowy

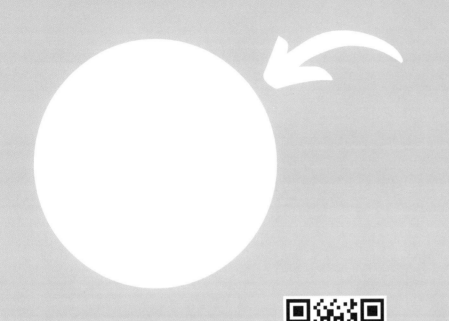

white

biały

green

zielony

black

czarny

multicolored

wielokolorowy

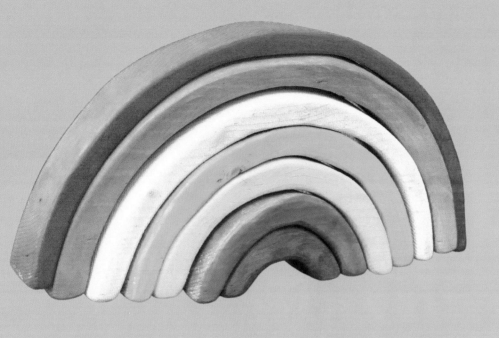

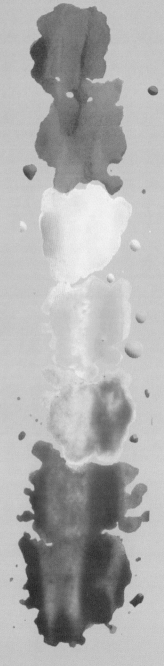

rainbow

tęcza

apple

jabłko

banana

banan

tomato

pomidor

orange

pomarańcza

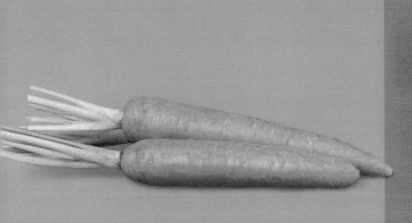

carrot

marchewka

peas

groszek

potato

ziemniak

corn

kukurydza

lemon

cytryna

grapes

winogrona

pear

gruszka

watermelon

arbuz

zucchini

cukinia

egg

jajko

mushroom

grzyb

square

kwadrat

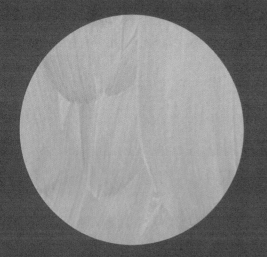

circle

koło

rectangle

prostokąt

triangle

trójkąt

cat

kot

dog

pies

fish

ryba

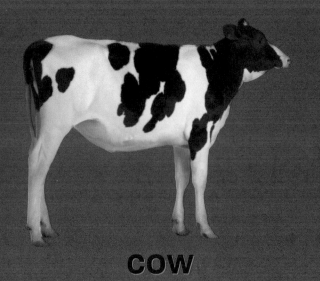

cow

krowa

duck

kaczka

chick

pisklę

hen

kura

frog

żaba

pig

świnia

rabbit

królik

mouse

mysz

horse

koń

sheep

owca

flower

kwiat

butterfly

motyl

ladybug

biedronka

snail

ślimak

cake

ciasto

bread

chleb

clock

zegar

key

klucz

book

ksiązka

ball

piłka

table

stół

plate

talerz

chair

krzesło

high chair

wysokie krzesełko

fork

widelec

knife

nóż

spoon

łyżka

cup

filiżanka

baby bottle

butelka dla niemowląt

glass

szklanka

bed

łóżko

crib

kołyska

teddy bear

pluszowy miś

pacifier

smoczek

towel

ręcznik

sink

umywalka

toothbrush

szczoteczka do zębów

soap

mydło

toilets

toaleta

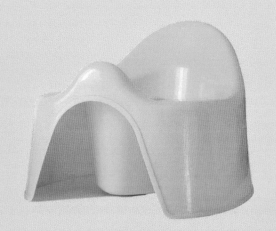

potty

nocnik

diaper

pieluszka

car

samochód

bike

rower

plane

samolot

boat

łódź

firetruck

wóz strażacki

train

pociąg

toys

zabawki

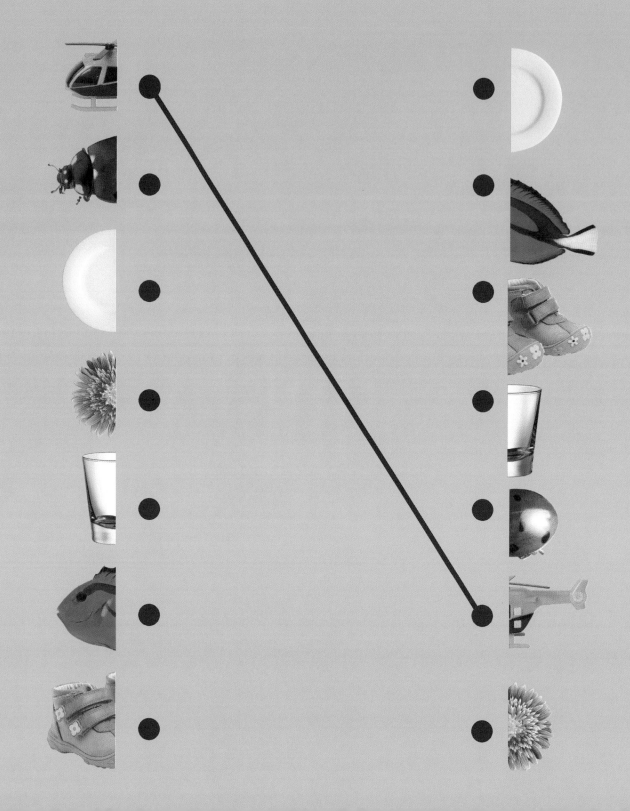

Printed in Great Britain
by Amazon

38295789R00025